Collection L'appel des mots
dirigée par Robbert Fortin

L'Hexagone bénéficie du soutien de la Société de développement des entreprises culturelles du Québec (SODEC) pour son programme d'édition.

Gouvernement du Québec – Programme de crédit d'impôt pour l'édition de livres – Gestion SODEC.

Nous reconnaissons l'aide financière du gouvernement du Canada par l'entremise du Programme d'aide au développement de l'industrie de l'édition (PADIÉ) pour nos activités d'édition.

Nous remercions le Conseil des Arts du Canada de l'aide accordée à notre programme de publication.

D'OÙ QUE LA PAROLE THÉÂTRE

DU MÊME AUTEUR

Le thé dehors, poésie, Montréal, Triptyque, 2002.

À ceux qui sont dans la tribulation, poésie, Montréal, l'Hexagone, coll. « L'appel des mots », 2004.

Nous sommes toujours à 93 kilomètres de quelque part, poésie, Longueuil, Les Petits Villages, 2004.

De l'absinthe au thé vert, poésie, Montréal, l'Hexagone, coll. « L'appel des mots », 2005.

L'aurore marâtre, Québec, Le lézard amoureux, 2006.

THIERRY DIMANCHE

d'où que la parole théâtre

l'HEXAGONE

Éditions de l'Hexagone
Une division du groupe Ville-Marie Littérature
1010, rue de La Gauchetière Est
Montréal, Québec H2L 2N5
Tél. : (514) 523-1182
Téléc. : (514) 282-7530
Courriel : vml@sogides.com

Maquette de la couverture : Anne-Maude Théberge
En couverture : © Pierre Otis, *Exil*, huile sur toile, 90 cm de diamètre, 2004

Catalogage avant publication de Bibliothèque et Archives nationales du Québec
et Bibliothèque et Archives Canada
Dimanche, Thierry
D'où que la parole théâtre
(Collection L'appel des mots)
Poèmes.
ISBN 978-2-89006-800-1
I. Titre. II. Collection.
PS8557.I586D68 2007 C841'.6 C2007-940844-3
PS9557.I586D68 2007

DISTRIBUTEURS EXCLUSIFS :

• Pour le Québec, le Canada et les États-Unis :
LES MESSAGERIES ADP*
955, rue Amherst, Montréal, Québec H2L 3K4
Tél. : (514) 523-1182
Téléc. : (450) 674-6237
* Une division du Groupe Sogides inc;
filiale du Groupe Livre Quebecor Media inc.

• Pour la Belgique et la France :
Librairie du Québec / DNM
30, rue Gay-Lussac, 75005 Paris
Tél. : 01 43 54 49 02
Téléc. : 01 43 54 39 15
Courriel : direction@librairieduquebec.fr
Site Internet : www.librairieduquebec.fr

• Pour la Suisse :
TRANSAT SA
C.P. 3625, 1211 Genève 3
Tél. : 022 342 77 40
Téléc. : 022 343 46 46
Courriel : transat-diff@slatkine.com

Pour en savoir davantage sur nos publications,
visitez notre site : www.edhexagone.com
Autres sites à visiter : www.edtypo.com • www.edvlb.com
www.edhomme.com • www.edjour.com • www.edutilis.com

Dépôt légal : 3e trimestre 2007
Bibliothèque et Archives nationales du Québec, 2007
Bibliothèque et Archives Canada

ISBN 978-2-89006-800-1

Un mot, et c'est déjà le théâtre.

Sarah Kane

XI

Sur les ruines les plus fraîches

furioso

I

D'où que théâtre parole

il faut loger fureur meurtrière quelque part

brûler/dicter l'horrible et qui lacère la voix

jardiner moindre mal d'agression symbolique

OÙ ! OÙ ! que syllabes accélèrent destruction de l'atone

ou neutralisent apathie dans une illusion utile

je me sustente – PA ! PA ! – de percussions sur tôle
aliénée cette langue

pour variété des coups j'émane abrasion délicate

enfin vierge dans les fractures – pacifié par brisements

j'assassine la page minée par d'autres à satiété
de mollesse

éveille de vieux démons – un dialogue pourri de peurs

évolue dans la canonnade des gîtes qui nous subtilisaient
le dehors

avant que nous prenions le thé sur les ruines
les plus fraîches

II

Puisque roquène-raule n'aura été qu'onguent
de misère

faciès alternatif du réconfort grégorien – vêtement
paumé sur le dépouillement continu du regard
échappé aux nues abstraites de la couleur

qu'à chaque arrêt nos trains se vident à n'en plus rouler
sans purge des rails

et que nous devenions sillons – trajets – goudron
malaxés dans la glaire étoilée d'un étroit souvenir

OÙ-OÙ ! reste à maudire printemps violent de cette
maladive passion d'imaginer l'ennemi

l'expulsion anté-scopique d'une haine toujours niée
néanmoins transmise dans chaque pincement social

OÙ-OÙ ! à dépasser d'entrée de jeu l'image

soupçon de foutre à fondre avec d'anciennes
tentations d'être

sous la batterie longtemps cuisinée des éléments célestes
et de leurs disparitions musicales

déranger l'étalage bibliothécaire de nos désirs non
vécus que dans ce spectre déformé – l'oublieux
étalage culturiste du livre

III

C'est néant – THÉ !-THÉ ! – transformé qui survient lorsque
vous tapez plus sournoisement que plombage médiatique
sur claviers d'aube crue

or irions-nous recouvrer l'usage de la vue du vide et de la
rue en combattant les filtres dont on eut tant besoin pour
échapper aux ronces moelleuses du regard sur soi…

juste milieu sera ce drain dont chacun situe l'assise

circulation des pensées se paiera de cette insurrection
giratoire sur plage tournante de leur émission

il n'y aura – OÙ !-OÙ ! – fin du jour que quadrillée
de cartes contradictoires à manier

au feu – PA !-PA ! – de reproductions et de brides !
feu de passe-passe et d'affluents !
flamboyance bien abdiquée…

si flamme ne concilie que broiement potentiel et arbre
en chaque chose

ne sauvant qu'en vertu d'une incarnation déviée

courons la braise si les fantômes surpeuplent nos branches

OÙ !-OÙ ! volcans, valves-vallées tout conspire pour de
nouvelles fusions dislocatrices et que nous soyons
mieux meurtris

que céréales faibles et ce pain lâche

IV

Il y a de quoi se nourrir sur les ruines les plus fraîches

suffit de discerner une première strie articulée
au flanc de bâtiments négateurs d'air

ou d'ouïr étouffement consenti dans ces regards
 grimaçant justice

puis nous mangerons à notre faim dans la
 charogne parolière

et nos enfants sauront l'orphelinat qu'abritent
 leurs membres

OÙ-OÙ ! que la PA-PA !
ce n'est toujours rien ! – qu'une limpide attaque
 vers ce secteur d'aujourd'huisance

dérive virée sagesse affûtée par amputations successives

stabilité atteinte que dans confrontation
 compromise de l'aise et des inconforts

OÙ ! que la PA ! – c'est rêves broyés que lames océaniques

eaux internationales dont le parfum avive
 intime démolition

V

Tuer en soi ce qui tue le lendemain – tuer ce qui tuerait si facilement le long d'une guerre sursautée

s'il dort – QUE ! QUE ! – bombardements et exactions dans la pataude langueur le consensus narcotique

injection assassine dans la vitesse déplacée le culte exorbité de l'action

puis sortir son petit sac de lettres – OÙ-OÙ ! – dehors…

pas d'univers compact sans cette rafale volubile sur les volutes complices de chlorophylle et vent

poète vrille-toi dehors et deviens ce que personne n'est devenu dans les miettes de ta bouche

or jamais assez dit que dire n'a jamais commencé – c'est dans la nature de l'arbre d'aller multiplier origines et buts

l'expulsion garde ses attraits peu importent les classes il faut choisir avec volupté le moment d'en sortir

VI

Ce serait là notre nouveau journal à même les débris
mordus de ceux qui nous déçoivent

mais dans une autre tournure de ce papier parlant où
l'actuel se régurgite en improbables présences

or faut-il feuilleter sans cesse pour mastiquer le jour et
combien divers les modes de faucher notre premier
cri bercé…

pour inventer patience de superposer nos cycles sur les
procès en cours dans l'humus et les tissus de l'air

OÙ-OÙ ! que la PA-PA ! je t'invite
à l'incinération de nos doutes les plus chers et que
nous enjambions l'incrédule oubli du fil aigre

VII

Elles balbutiaient tonnerre dans de sombres tapisseries
   maintenant foulées de nuisance

et nous serions joyeux de bousculer ces archives si leur
   fraîcheur ruinée ne les faisait survivre

or accueillant désordre séminal où veines ponctionnent
   charroi d'alluvions

sans terminus ni gîte improvisons suite du monde
   au cœur de corridors distraits

LÀ-LÀ-OÙ ! où théâtre celle-là
c'est rugissement juvénile convertissant jérémiade
   d'apôtres

une fragrante conversation maquisarde

VIII

S'insérer entre les carambolages qui épicent l'expérience
de la terre aura été notre plus chaude pensée ce soir

ramenés à l'horizontalité destinale nous n'aurons eu
de cesse de bondir vers des crashs plus subtils en
retouchant les teintes de nos sangs

qu'est-ce que la manigance effrénée par laquelle nos
déclinaisons du sourire savent se joindre dans une
nouvelle torsion de l'arc à baptêmes ?

il n'y a que bombes nommées pour étancher nos
quartiers déconstruits sous le pollen suffocant d'une
association morose

DEHORS
sourd couvercle

sur les clignotements
du
SANG

ce
LANGAGE
nous fouette

avec
ses
POISSONS
AMERS

si
l'homme
s'entasse

dans une
GÉNÉRATION
perdue

dans un
tombeau
vineux

ni POIDS
ni augure

sans éclair substantiel

•

le TALON de la mort
s'évade
et nous aussi

arcades moulues
flancs mâchés
modeleurs informes

l'eau nous regarde

extrêmes là

tant
gravitent les germes

infime
AMPHITHÉÂTRE

DIGUE molle

où filtrer

chairs et choses
encombrées

invisibles
TAMIS

l'humanité dispersée
par des déclics
MALINS

ses pelures
écrasées en arcs
lorgnant poussière
indéfiniment

D'OÙ le poivre
et la MÂCHOIRE en feu
la fanfare
entamée
des os

notre ÉRUPTION
polaire

rotatives

amplificateurs

girations marâtres

cette flottille
roule des hypothèses

tant et tant
d'autres brisées

grésillante
l'ombre a secoué
le fœtus

or là tout
n'est qu'écho

tournure
tournée
dans les rayons

si peu
de mômes

à la
brasserie
mondaine
de
Dieu *(sonnent cloches sonnent)*

m'ont ému

FRACAS
gorgé de discipline
on relâche
le déchiffrement des
misères

bouse et
DÉCOMBRES ce déluge
ne rassasie

qu'un temps ridé
qu'alignaient les tasses

mais l'évasion virait

galoper
par des
chevaux
de tonnerre
fut l'hypothèse
la plus longue

VŒU tenace
parmi les
kilomètres
contraints

puis c'est en toi
que l'écurie
s'est éveillée

le grondement de
leurs poumons
répercuté

dans un CRIN
électrique

en toi
que les archers
font CARREFOUR…

galoper par
les cheveux
de la terre
délivre des
locomotions

quand la voix disperse ses cordes
à nos trousses

PATERNISER droite-gauche

sans omettre la
mesquinerie fertile
du CENTRE

GRAINS
d'issue

... *affreux dimanches bandés...*

importateurs
d'amour
sur ailes de
moucherons

l'hiver s'est bien répandu
nous en sommes
QUITTES pour quelques
illusions de COURANT

ce n'est RIEN

les grands
garçons

REPOUSSENT toujours

d'un théâtre
à nul autre
et tant d'autres

on échouera
à se taire

le lecteur est parlé
où le bavard
écoute

seule la
PAGE
est le lieu
d'autant de

bousculades

XIII

Moudre sa voix
vers
des
rivages
sans
nombre

risoluto

Baronne Dimanche
à force de girations dans la fêlure
cette voix marine des intuitions aveugles

préférables à se quémander
aux sources taries par l'entropie cadavérique
de notre Québec imaginé

c'est se moudre

une épice pour présent affadi

pour ne plus faire violence
à l'aube élémentaire multiple souverain

dans le rebours des angoisses mécaniques
une meule délibérée broie les reproches

fend sa loi pour des clivages filants

quelque chose
se débarrasse de moi c'est très bon
cette scène est un heureux déclin

Sur une radio vaticane ou coranique

Ombré

par le bosquet squelettique

du poivrier vocal

cent fois K.-O. *dessous l'arborescence de la pluie rouge*

mon vieux ! tu trempes dans quelques poisons récents

tel un anticorps déboussolé

péripétie muée au visage

enfin
JE EST UN POIVRE POUR L'HOMME
ET POUR CELA BROYER M'EXPRIME

C'est un autre grand jour
pour les fleurs du tapis
l'intensité du carrelage se maintient
sans que tu boives un geste
la communauté suspendue crépite
– va prendre un bain
disparais
dans la somme de tes vides
deviens une autre fois celui
qui s'inexiste de l'avant

[… en chemin, ne pas
avoir omis ce détour,
deux ou trois jours dans la
désidentification absolue,
ce qui donne d'ailleurs
toutes ses teintes au pavé,
des odeurs de rêverie brûlée
où filtreraient celles d'autres
manigances en floraison…]

Causes bientôt entendues publiquement dans un poème près de chez vous

La constitution rachitique de
mon autorité dénigre ses
résistances afin de pacifier cette
foule émeutière du moi

sentinelle devant
la réserve faunique des identités
j'ai profité du spectacle
alimenté mes impairs
jusqu'à équilibre approximatif
entre écarts et retours

chaque page un manifeste poivré
le paradis, la fin de vos jours
pour autant qu'on la croque
avec exacte férocité

[or j'en eus marre de m'accorder tant d'importance
pendant que la guerre proliférait d'un crâne à l'autre

quiconque ne lit que d'un œil saura bientôt
quel bois se chauffe de lui lorsqu'il se croit dormant]

Le fil du poivre nie les sanglots
que l'élevage a disposés dans nos viandes

c'est un petit feu pour assainir la bouche
une électricité pointilliste à vos souhaits

moudre sa voix vers les rivages
achève les suppositions de la marche
entre langue et orteil un courant
s'offre la tuyauterie des marées

allumette et pétrole se dévisagent
dans nos conversations bidon
toutes les veines sont des fouets
selon l'absence de manuel

par le grain l'alcool la flamme
les illusions s'épuisent en feuillets
jusqu'à classification volatile
où le trajet s'évade sans nombre

Le grain eu, voilà qui passe

Je n'ai plus honte d'avoir les yeux crevés
devant tant de messages qui ne me
concernent pas
quelqu'un passe
un très mauvais quart d'heure
et les trois autres nous ennuient

le code d'accès
aux désordres les plus sincères
se trouve rangé sous le tapis
je t'embrasse
ne te dénombre pas trop tard
deviens toi-même pour souper
guerre civile au menu ce soir
parmi les dictionnaires

tu es priée de laisser la clef
à la première personne qui te croise

Vive la nouvelle
qui n'est jamais venue !
les inspecteurs perdus en route

vive l'album qui
n'a jamais paru que pour
rire au nez des porte-foutaises
et des avaleurs de révolution

vive ce catalogue qui recense
tout ce qui n'est jamais sorti !
les meilleures impressions de pouvoir
auxquelles on puisse prétendre

Tant de paroisses à prêcher ce soir

Si je ne peux plus
qu'une usine à fous rires
de dément neuf
à l'infini des mauvaises humeurs

je dirai aussi qu'une église
ne s'amène jamais seule
et qu'il nous faut des crosses
d'un nouveau genre
afin de légiférer
sur cette fournaise en germe
ce département de sauterelles...

La vie
glisse

entre les images
et les propositions

la vie glisse

à ravir
les hivers

dévorés par la roue
lumineuse

battant
ses foudres d'escampette

la rive
glisse

entre les étendues
parmi

les émissions velues de la
fin qui défile

de l'horizon vers nous

débutants dans l'art
de l'extinction

S'égrener sans pathos

Les osselets du mot
lancés au vent

projectiles !

toute une vie projectile
à rêver la vie
projectiles

encore une saveur
les osselets du mot
projectile
d'une vie rêvée à vivre

projeté

Et c'est toujours la rencontre dans l'orage
et c'est toujours le bord de l'éclipse
et c'est toujours derrière la palissade des cellules
l'horizon qui recule, qui recule…

HENRI MICHAUX

Certains s'enferment dans un roman
pour que le monde se taise

soyez plus grossiers que cela

DEVENEZ MINISTÈRES

[le ministère des désertions
le ministère de l'aube
inaugurent leurs bâtiments
sans vergogne
à la remorque des aigles

la politique de l'illusion brûlée
consiste à raser ses rêves
jusqu'au ressort parole neuve
sale boulot]

L'affinage du poisson pourri

M'ENGUEULER

M'ENGUEULER

M'ENGUEULER
FRUCTIFIE

À PEINE DEUX
OU TROIS SONS

PROCÉDURES
ENCLENCHEMENTS
NOUS ENTOURENT

VIE SOUMISE
À UN NOUVEAU
RACONTAR

PAS LA
PEINE D'ÊTRE
MAUSSADE

TOUT UN CHOIX
DE QUESTIONS

LES ALTERNANCES
MUGISSENT

Donc après tout je suis CHAOS
mon rire sonne un casse-tête
la vie passe macédoine de pixels
où tumulte le lieu le lieu théâtre

pas de quoi
moudre son père
seulement
chaque jour chaque être
atomiser davantage
ce qui fut cru nom propre

bonsoir canaille
ôte tes sales pattes de ce poème

ou fais-t'en l'auteur impitoyable
l'hurluberlu théâtre

XIV

Stances à Captain Beefheart

ad libitum

Propriétaire d'un masque de truite
il fit l'amour à une vampire
avec un singe sur son genou

lançant de la crème glacée aux corneilles
pour disperser tous les péchés du monde
ce n'est pas le moindre Virgile

à cet effet
cher Capitaine
je vous demande de quitter votre peinture

et de m'écrire comment
devenir libre
à l'écart des concerts

ce ne sont pas vraiment des stances
ni tout à fait un capitaine
mais voilà je vous parle

dans l'ambition de piloter
cette divagation nerveuse
qui nous administre la tête

car celui qui abandonne sa folie
aux autoroutes synonymiques
est un bourreau d'enfant

mais déjà je m'écarte
afin de mieux revenir
à ce que je n'ai pas encore dit

si le lecteur est plus qu'un cendrier
c'est déjà mieux que moi
porte-poussière des langages

à la clairière embouteillée
nous aurons fusé pas mal
pour animer quelques racines

devenir navigateurs
malgré les pronostics et les
circonvolutions barbelées de notre histoire

d'ailleurs pigiste spirituel
il crut savoir pourquoi nous sommes contraints
de savoir pourquoi nous sommes

moi je porte mon café à gauche du cœur
laissant place à d'autres stimulants
dans la marche infatigable des déclics moroses

c'est une petite forme de salut
qui vous donne congé
je mute je mute

c'est tout ce qu'il sait faire

ministère sans solde
il lui appartint de spéculer
sur les irréalités les plus vertes

c'est une étrange supervision
juste assez vague pour réunir
autels, déroutes et sacrilèges

en chaussettes sur un chantier
c'est suffisant pour exhumer
la goélette squelettique où je m'en vais
dormir

tension sans drame
les dernières semaines ont échappé
à la photographie

comme couleuvres snobinardes

je suis devenu moi-même
et son absence
un peu grâce au Capitaine Cœur de Viande

entre les notes
d'autres subdivisions du son
nous auront définis

aussi sécuritaires que le lait
ses afflux se promènent en zigzag
jusqu'à l'automne fluide

où les bêtes lumineuses
font office de déversoirs nocturnes
à l'attention de chiens-chauds tropicaux

conducteur miroir
il dispense la forfanterie rythmique
fumant deux clarinettes simultanées

il a traîné le blues de Dachau
loin loin par les fenêtres
avec la rigueur folle des escadrons d'oies sauvages

maintenant ne veut que peindre
à la ligne quelques poissons ambigus
pour encastrer sa hargne éteinte

c'est un pirate au cœur bovin
qui menace la journée
de ses oblitérations scintillantes

un purgatoire itinérant
prenant sur lui
la division comique

insurrection tu péricIites
au bénéfice des réservoirs opaques
où ton devoir est retenu

de quoi rire
de quoi moudre ses dents
pour une expression neuve

on se promène
dans la fumée des coléreux
les causes de la corruption

quelques babils en laisse
procédures apaisantes
brisent l'orgueil en douce

d'où que théâtre ta parole
tu t'appliques à détruire
ses liens postiches

car un scalp
est un scalp
est un scalp

et qu'à cela ne tienne

XV

D'où que
théâtre
la
parole

semplice

acte 3, scène 6 ; *sort le théâtre, ne trouve aucun dehors*

Le cœur nœud
paraphe l'incendie dérisoire
où l'imagination se contraint
        à simplement exister

mondes parmi mondes
c'est un beau conflit d'horaire
société forcenée dont les coulisses
        sont les planches

                et les planches un public

acte 12, scène 8 ; *entre la fabrique d'hémoglobine, suivie de près par la concurrence des fluides*

Construire du sang tourner   autour de ce qui
ne tolère qu'on le confonde   avec l'architecture
mais qui jouit   d'y promener ses reflets de syntaxe

construire ce pas danser sa tête   en méfiance
des cheveux qui ne manqueront pas d'y passer
en direction du blanc

se connaître s'annihiler   par suppressions s'avancer
vers une disposition apte   à la connaissance et à sa
suppression   vers soi s'annihilant

acte 2, scène 3 ; *entre l'herbe, sort le souffle*

Sur le fumier des croquis s'épanouit l'herbe
folle de mon second

bond critique au-dessus
de l'amertume où l'on naît

lèvres en ruine jusqu'à ce que
génération s'ensuive

sur le fil risqué la rage s'enroule alors

nous sommes
doublés par les fondations limoneuses de nos désirs

deuxième souffle où l'épuisement nourrit
l'élan inespéré d'un nom nommé par mitraille aérienne
et blessures parachutistes

dernier acte, scène antépénultième ; *silence riposte, parole ruse encore*

Chacun enfoui
dans le vêtement composite de son apparition

nous parlons d'autres parts

avec une rareté d'écoute
proportionnelle aux fausses familiarités

d'où que phrase survienne
pour nous défendre devant l'éperdue matière

il faudra fendre son bouclier
bourgeon têtu entre les nuits

acte 8, scène 1 ; *à la bibliothèque on boxe*

Dans le coin gauche

le bourdon de la bibliothèque
brûle à la source les banalités

fournaise tranquille où ça plie
se déplie
se refait

le plus intense vacarme se cache là
libre d'usage   indifférent
derrière la descendance de ses conflits

je ne sais plus qu'y prendre
nous sommes tous là bourdonnant
balbutiant nos variantes à venir
ou qui mourront dans la lettre

acte 2, scène 2 ; *un cirque entre et retourne son cerceau*

Cette goutte de rien   sommant chacun
de se distinguer d'elle

insuffle une destruction joyeuse
        dans les équations successives

tour à tour de fatigue et de résurgences cinglées
s'incarner croise
        le registre de très saints acteurs

outre mimiques   outre découpes
les renforts font parade perpétuelle
        entre les jeux les rôles

        torsion semailles d'être quelqu'autres

D'ÊTRE QUELQU'AUTRES
EN CE THÉÂTRE CIRCADIEN
CINGLE L'INTONATION

acte 6, scène 3 ; *un projet de transit griffe l'écran*

à Catherine Morency

Je n'étais pas l'orgie
pressentie sous les livres
à cette heure un parc voisin capte les vœux
prometteuse impuissance
où nos meubles se défilent

[parti dîner]
[mobilisé pour la journée]
[ne pas entrer…]

(ICI FURENT DÉPOSÉS
LES RIDEAUX)

est-il appartement
qui empêche de nous foutre à la porte
de nos quelqu'uns tentés ?

acte 1, scène finale ; *sort l'ancêtre inconnu, entre le solitaire factice*

Ils l'ont sorti pieds nus l'hiver   sur une
    civière au demi-jour

sans doute murmura-t-il trop de langues
                    près d'un foyer éteint

puis je suis rentré
moudre mes dictionnaires
        pour ne plus être en paix
                trop tôt dans la semaine

épilogue ; *ses adieux au vide*

I

Far West Dimanche
avare de sa personne
outre ses rictus collectifs

il est mais ne demeure
parmi des cimes et des peut-être
en osmose avec les arbres calcinés
à cheval   sur un vide qu'il ignore

II

Ici fleurissent
ses adieux au vide
longtemps revus dans le rétroviseur

rien n'a brûlé en vain
les repousses sont farouches
et les espèces imprévues

puis s'achève
la suprême beauté de ne rien trouver
au nord perdu le nord
une fraction ridicule de ce rêve
parti pour naître

III

Il a suffi de saluer le rien
au bout d'une route assez longue
et suffisamment évitée

cueillir quelques efflorescences
imputrescibles dans leur vert profond

d'autres thés d'autres fardoches
une pierre et quelques clavicules
éléments d'une prochaine recherche
aux marges complices du commun

une voix sol meuble pour lire
et pour cesser de lire

C'EST CE SEUIL QUI M'EMPORTE

OÙ NOS PERCEPTIONS S'APERÇOIVENT

Post-scriptum

C'est dans un immense merci
que lentement je n'existe plus
phrase douce-amère
au théâtre Tribulation
ce thé dessille
tant que les paupières repoussent
nous sommes dehors à la mesure
où nous échouons à sortir
arpent kilométrable
à volonté sur les langues
une pentecôte blasphémée circule
à la merci des autres
cette réunion sonne et coupe
le plus vilain sacrement
par ici la sortie
par ici le tonnerre
à la prochaine boucle éclôt

Post-scriptum

C'est dans un immense merci
que lentement je n'existe plus
phrase douce-amère
au théâtre Tribulation
ce thé dessille
tant que les paupières repoussent
nous sommes dehors à la mesure
où nous échouons à sortir
arpent kilométrable
à volonté sur les langues
une pentecôte blasphémée circule
à la merci des autres
cette réunion sonne et coupe
le plus vilain sacrement
par ici la sortie
par ici le tonnerre
à la prochaine boucle éclôt

Notes

XI : suite abandonnée par Thierry Dimanche, complétée par Thierry Dimanche II. *La mémémoire*: aventure de Philémon, par Fred.

XII : emprunts multiples au recueil *L'homme approximatif* ainsi qu'à d'autres textes de Tristan Tzara.

XIV : l'Américain Don Van Vliet alias Captain Beefheart. L'homme a sévi de la fin des années soixante aux années quatre-vingt, entouré de son Magic Band, et a collaboré à maintes reprises avec Frank Zappa, dispensant un blues qui flirtait avec le free-jazz chaotique. Il se consacre exclusivement à la peinture depuis une quinzaine d'années, ayant dit adieu à l'industrie musicale avec l'album *Ice Cream for Crow.*

Table

Cet ouvrage composé en New Baskerville corps 11 a été achevé d'imprimer au Québec
le neuf août deux mille sept sur papier Quebecor Enviro 100 % recyclé sur les
presses de Quebecor World à Saint-Romuald pour le compte des Éditions de l'Hexagone.

BIO GAZ
ENERGIE